KB103163

마음 치료법

크리스티안 라슨

THE MIND CURE

By Christian D. Larson

1912

마음 치료법

발 행 | 2024년 7월 15일

저 자 | 크리스티안 라슨 Christian D. Larson / 김어진 옮김

펴낸이 | 한건희

펴낸곳 | 주식회사 부크크

출판사등록 | 2014.07.15.(제2014-16호)

주 소 | 서울특별시 금천구 가산디지털1로 119 SK트윈타워 A동 305호

전 화 | 1670-8316

이메일 | info@bookk.co.kr

ISBN | 979-11-410-9481-2

www.bookk.co.kr

저자 소개

크리스티안 라슨(Christian Daa Larson: 1874~1954)은 미국의 신사상(New Thought)의 리더 및 교사였으며 형이상학과 신사상에 관한 많은 저술이 있다. 그의 저서는 처음 출간된 지 100년이 넘게 지난 지금에도 여전히 인쇄되고 있으며, 그의 저술은 어니스트 홈즈(Ernest Holmes)를 비롯한 많은 신사상 지도자에게 영향을 미쳤다.

목차

신경증 치료

이 나라에서 대다수 사람이 어느 정도 여러 가지 형태로 불안에 중독되어 있다는 것은 잘 알려진 사실이다. 그리고 불안이 모든 정신 질환의 직접적인 원인이고, 많은 유기적이고 기능적인 신체 질환의 간접적인 원인이기 때문에, 신경계에 대한 건강을 확보할 수 있는 방법을 찾는 것보다 중요한 것은 거의 없다고 할 수 있다. 이런 질병을 어떻게 치료해야할지는 오래전부터 문제가 되어 왔다. 일반적으로 의약은 거의 사용되지 않지만, 다양한 형태의 다른 치료 시스템은 제한적인 효과만 나타낼 뿐이다. 따라서 모든 경우 또는 거의 모든 경우에 적용할 수 있는 치료법을 발견한다면, 그것은 시대의 가장 주목할 만한 발견 중 하나로 쉽게 간주될 것이다.

신경계를 완벽하게 유지하는 법을 배우면, 정신 이상 증세는 거의 없어지고 신체적 질환은 최소한 절반 아래로 감소할 것이라고 자신 있게 말할 수 있다. 덧붙여서, 마음의 힘과 능력도 매우 증가할 것이다. 세상의 대다수 훌륭한 정신은 자신이 할 수 있는 모든 것을 하지 못한다. 그들의 재능이 어떤 종류의 신경성 문제에 의해 간섭받기 때문이다. 그리고 이러한 문제들은 정신 에너지의 양을 줄이는 경향이 있을 뿐만 아니라, 지성을 혼란스럽게 하고 거의 변함없이 상상력을 잘못 돌리게 한다.

어떤 형태의 긴장감에 탐닉하지 않는 뛰어난 능력이나 천재적인 정신은 거의 존재하지 않으며, 또 그러한 조건에서는 어떤 마음도 최선을 다할 수 없다.

사실, 신경증이 완전히 제거된다면, 신체의 질병의 절반 이상 그리고 거의 모든 정신 질환이 사라질 것이다. 신체의 힘과 지구력은 현저하게 증가하고, 대부분의 경우 마음의 능력 또한 실질적으로 두 배 이상이 될 것이다. 그러므로 신경증에 대한 완벽한 치료법이 큰 이득이 되리라는 것은 분명하다. 그리고 그 특성상 실패할 수 없기 때문에 모든 요건을 충족하는 치료법이 발견되었다. 이 치료법은 모든 경우에 건강을 제공할 것이며, 매우 간단해서 모든 이가 성공적으로 적용할 수 있다. 이 치료법이 모든 경우에 신경증을 제거할 수 있다는 것은 불가능해 보일지 모르지만, 치료법의 본질을 살펴보면, 그것이 절대 실패하지 않는 이유는 질병의 직접적인 원인이라고 할 수 있는 원격적 원인(remote cause)을 제거할 수 있는 힘에 있음을 알 수 있다.

우리가 신경증이라고 부르는 시스템의 상태는 신경액(神經液. nerve fluid)의 불일치, 또는 신체의 전자기 에너지에서 혼란스러운 진동으로부터 비롯된다. 이것이 직접적인 원인이다. 그러나 이 원인의 뒤에 원격적 원인이 있다. 원격적 원인이란 그 에너지에서 혼란스러운 진동을 생성하는 조건을 말한다.

우리가 말하는 신경액은 인체 전기라고 말할 수도 있다.

왜냐하면 그 성질과 작용이 전류와 정확히 일치하기 때문이다. 물론 그것은 보통 전기보다 훨씬 더 질이 좋다. 따라서 미세한 전류를 생성하기 때문에 인간의 뇌를 다이나모(dynamo. 발전기)라고 말할 수 있다. 그리고 신경을 이 유체 또는 전기를 신체의 모든 부분에 전달하는 전선으로 볼 수 있다.

이 신경액에는 기능이 많다. 마음에서 생성되는 모든 생각과 상태, 조건 또는 행동은 이 유체의 힘에 의해 몸 전체, 신경 또는 전선을 통해 전달되며, 전체 시스템에서 일어나는 모든 것 또한 동일한 과정을 통해 뇌로 전달된다. 따라서 신경계는 인간의 전신(傳信. telegraph) 시스템으로, 마음은 이 시스템을 통해 자기 세계의 사건에 대해 끊임없이 정보를 얻고 무엇을 해야 할지 끊임없이 지시를 내린다. 그리고 우리는 어떻게 거짓 뉴스나 정보가 전달될 수 있는지, 그리고 이러한 미세한 전류가 방해받을 경우 긴급한 정보 전달이 어떻게 지연될 수 있는지 쉽게 이해할 수 있다.

신경증으로 고통받고 있을 때, 사람은 종종 자기 시스템의 상태에 대해 착각한다. 그 이유는 전신 시스템이 완벽하게 정렬되지 않아 잘못된 정보를 전달받고 있기 때문이다. 마찬가지로, 그런 사람은 자기 상태에 관해 정확한 사실을 얻지 못할 수도 있다. 정보가 도중에 소실되었기 때문에, 그의 시스템에는 그가 알지 못하는 상태나 조건이 있을 수 있다.

하지만 같은 상황이 약물에 의해 자주 일어난다. 통증을 멈추려고 약을 복용할 때, 통증을 제거하는 것이 아니다. 통증의 감각이나 정보가 뇌로 전달되지 않도록 신경을 마비시키는 것이다. 때때로 그런 과정은 허용될 수 있지만, 신경계의 정보 전달 과정을 너무 많이 방해한다면 수신되는 거의 모든 감각이 거짓이거나 과장될 정도로 무력화될 것이다. 자신의 시스템에 실제로는 존재하지 않는 병이 있다고 상상하는 것이 불구가 되거나 변태된 신경계의 일반적인 원인이다. 자신의 상태에 대해 잘못된 정보를 듣고 있으며, 너무 현실적으로 보이기 때문에 그것이 사실이라고 생각하는 것이다. 그러나 진짜처럼 보여도 모든 것이 사실인 것은 아니다. 사실 신경계에 교란과 변태가 많을수록 잘못된 인상도 더 현실적으로 보일 것이고, 그것은 교란된 신경계가 비정상적으로 민감하기 때문이다.

신경계의 또 다른 기능

신경계의 또 다른 기능은 신체의 모든 부분에 창조 에너지를 전달하는 것이다. 시스템의 모든 세포는 창조 에너지에 의해 구성되거나 수리되며, 이 에너지는 세포의 국소(局所)로 들어가는 신경에 의해 전달된다. 결과적으로 신경계가 고장 나면 많은 곳에서 세포의 건설과 구성 과정이 지연될 것이다. 이 과정이 간섭받거나 프로세스의 정상적인 활동이 방해받으면 시스템은 잘못된 수리 상태로 방치될 뿐만 아니라 성장 오류가 발생할 수 있다. 창조적인 힘이 시스템의 어떤 부분에서든 방해받거나 잘못 지시되면, 정상적인 세포 구성을 지속할 수 없으며 많은 경우 잘못된 세포 구조를 만들어내기 시작할 것이다. 이런 식으로 종양이나 암, 괴사, 백내장 및 모든 종류의 부자연스러운 성장이 발생할 수 있다.

그리고 이런 연관 속에서, 우리는 사실상 인간 시스템의 모든 비정상적인 성장은 어떤 형태의 신경 질환으로 거슬러 올라갈 수 있다는 것을 기억해야 한다. 그러므로, 만약 평생 유지된다면, 신경에 대한 완벽한 건강은 인간 시스템에서 모든 부자연스러운 성장을 절대적으로 막을 것이다. 시스템의 창조 에너지가 정상적인 활동을 지속하면 어떤 부자연스러운 성장도 이루어질 수 없으며, 그러한 에너지를 정상적인 활동 상태로 유지하기 위해서는 신경계가 질서정연해야 한다. 즉, 모든 신경이 건강해야 한다.

신경액의 작용에 따르는 다양한 효과를 상세히 설명하고 전체적인 개괄을 잡으려면 생리학적 심리학의 온갖 단계까지 다뤄야 하고 상당한 분량의 저술이 필요할 것이다. 우리의 목적은 이 방대한 주제에 대한 완전한 논문을 제시하는 것이 아니며, 단순히 가능한 한 가장 간단한 방법으로 신경에 효과적인 치료법을 실용적으로 적용하고자 하는 것이 우리의 목적이다. 모든 기능에서 신경액의 다양한 효과는 원인이 맞아야 올바르게 될 것이며, 원인은 신체의 전기 진동이 정상일 때 올바를 것이다. 따라서 이러한 정상적인 진동을 생성하고 유지하는 것이 우리의 목적이 되어야 한다.

신경력 진동 사이의 혼란이 신경질의 직접적인 원인이며, 또한 이 힘은 뇌에서 생성되므로 이 혼란의 원인을 찾으려면 뇌 또는 오히려 마음으로 가야 한다고 말한다. 마음을 분석하면 모든 정신적 태도가 뇌에서 상응하는 작용을 만들어내고 뇌에서 생성되는 힘을 어느 정도 수정한다는 것을 알 수 있다. 뇌는 신경력을 ~ 뇌는 신경의 힘, 즉 신경계의 전기적 힘을 생성하는 발전기이므로, 정신 상태가 불안정하면 뇌에서 그에 상응하는 작용이 일어나고, 특정 마음 상태에서 뇌에서 생성되는 힘의 진동이 혼란스러워지는 것은 분명하다.

따라서 모든 혼란스러운 태도나 불안한 상태를 마음에서 제거하는 것이 완벽한 치료법처럼 보일 것이다. 하지만 이것은 완벽한 예방책에 해당하며, 실제 신경이 곤두섰을 때 반드시 효과적인 치료법은 아니다. 모든 긴장을 예방하려면 자신의 생각과 감정을 지배하고 신체에 조화롭고 건전한 영향을 미치는 정신 상태만을 만드는 법을 배워야 하지만 형이상학에 대한 철저한 이해와 상당한 시간이 필요하다. 사실, 그것은 반드시 꾸준한 성장이 될 것이다. 게다가, 많은 불안스러운 정신 상태는 잠재의식 속에 있으며 전체 정신이 새로워질 때까지는 제거할 수 없다. 의식뿐 아니라 잠재의식도 새롭게 하고 완벽하게 하는 것은 모든 사람의 지속적인 목적이 되어야 한다. 하지만 마음과 생각, 삶을 변화시키는 동안 불리한 원인이 제거되지 않은 그러한 조건들로부터 스스로를 해방시킬 수 있는 방법도 가지고 있어야 한다.

비록 완전한 예방을 위해 노력하고 있지만, 이 작업이 미완성 상태로 남아 있는 동안에도 과거 또는 현재의 실수로 인한 결과를 제거하기 위해 빠르고 준비된 구제책이 필요하다. 완전한 예방을 위해 계속 노력한다면, 곧 실수를 최소한으로 줄일 수 있는 상태에 이를 수 있겠지만, 그 상태에 도달할 때까지는 실수를 한 번에 제거할 수 있는 구제책이나 방법을 가지고 있어야 하며, 그래야 다른 나쁜 영향이 뒤따르지 않을 것이다.

하지만 세상의 혼란 속에서도 흔들리지 않고 버틸 힘이

없는 수많은 사람들이 있다. 그들은 끊임없이 불화를 만나고 있으며, 그러한 불화가 해로운 영향을 미치지 않도록 도움을 필요로 한다. 따라서 우리는 현재에 대한 효과적인 구제책과 점진적으로 완전한 예방을 제공할 수 있는 사고 및 생활체계가 필요하다.

분석할 때

신경을 교란하는 여러 가지 조건을 분석해보면, 흐트러진 마음 상태가 원인임을 알 수 있고 따라서 평화로운 마음이 그 치료법임이 틀림없다. 불안한 마음 상태는 뇌에서 생성되는 전기 에너지를 방해하고, 이러한 에너지가 신경을 따라 전신을 따라다니기 때문에 전체 시스템이 그에 따라 불일치하게 된다. 반면에 평화로운 마음 상태는 뇌에서 생성되는 전기 에너지를 차분하고 고요하며 조화롭게 만들며, 이러한 에너지와 마찬가지로 전체 신경계도 그렇게 될 것이다. 평화로운 마음 상태만 만들면 시스템에서 어떤 불협화음도 생기지 않을 것이며, 불협화음이 사라지면 긴장감도 사라질 것이다.

불안한 정신 상태가 이미 생성된 경우, 신경계에 영향을 미치기 전에 대응하여 바람직하지 않은 영향을 피할 수 있다. 이 과정은 간단하며 누구나 효과적으로 적용할 수 있다. 우선, 삶과 생각을 가능한 한 차분하고 고요하며 평화롭게 만들어야 하며, 둘째, 급성이든 만성적이든, 의식적이든 무의식적이든 모든 방해나 긴장의 원인을 평온과 평화를 길러내어 제거해야 한다. 신경의 힘이 아직 뇌에 있는 동안 마음의 작용을 변화시켜 진동을 수정할 수 있지만, 이 힘이 척수에 들어간 후에는 시스템에 침투할 때까지 원래의 진동이 계속된다. 따라서 이 힘은 척수에 들어가기 전에 작용해야 하며, 마음의 모든 작용에 쉽게 반응하기 때문에 적절한 위치에서 생성되면 완전한 변화를 만들 수 있다.

뇌의 에너지에 직접 도달하려면 마음은 귀의 입구와 정확히 중간 지점인 뇌 중심에 작용해야 한다. 귀에서 귀까지 뇌를 통과하는 가상의 선을 그리고 가운데에서 선을 나눈다. 이 지점에서 뇌 중추의 영역을 찾을 수 있다. 뇌중추 영역에서는 뇌에서 생성된 에너지 또는 신경력이 척수로 전달되어 척수에서 시스템의 모든 부분으로 전달된다. 따라서 이 힘의 진동을 바꾸려면 척수에 들어가기 전에 마음이 뇌 중추에 작용해야 하며, 그 작용을 통해 신경계 전체에서 원하는 바로 그 상태를 만들어야 한다. 뇌 중추에 각인된 마음 상태는 뇌에서 나오는 모든 신경력을 본성과 행동 모두에서 정신 상태 자체와 동일하게 만들 것이며, 따라서 뇌 중추에 완벽한 조화, 평온함, 침착함의 정신 상태를 각인시키는 것은 뇌에서 나오는 신경력을 평온하고 조화롭고 침착하게 만들 것이며, 따라서 시스템의 모든 부분에 평온함, 조화 및 침착함을 전달할 것이다.

이러한 차분한 신경 전류가 시스템을 통과하기 시작하면 모든 형태의 긴장이 사라지기 시작하고 즉시 안정감이 느껴진다. 모든 심장 문제는 실제로 신경계의 교란에서 비롯되기 때문에 심장의 모든 약한 행동도 중단되고 정상적인 활동이 확보된다. 평화온 자세로 뇌 중심에 집중하면 심장이 몇 분 안에 정상적인 행동을 하게 될 것이며, 이 방법을 매일 5~10분 동안 여러 번 사용하면 일반적으로 심장병이라고 불리는 질병이 심장 자체에 대해 최소한의 생각이나 주의를 기울이지 않아도 사라진다.

　이 방법을 완벽하게 적용하려면 뇌 중추에 주의를 집중하고 침착하지만 깊이 평온, 평화, 고요함, 조화를 생각하면서 이 지점에 부드럽게 집중하라. 그 순간 뇌 중추의 모든 것이 고요하고 완벽하게 고요하며 편안하게 쉬고 있음을 느껴보라. 이 방법을 사용하는 동안에는 몸이나 마음을 조금도 생각해서는 안 되며, 모든 생각은 뇌중추에서 생성되는 평화로운 상태에 집중해야 한다는 점을 기억해야 한다. 뇌 중추에 온 주의를 집중하고 마음과 뇌의 모든 에너지가 뇌 중추를 향해 부드럽게 움직이고 있음을 느낄 수 있다면, 몇 초 안에 몸 전체가 완벽한 조화를 이룰 수 있다. 이 평화로운 마음 상태는 곧 뇌 중추의 전체 영역에 침투하여 뇌에서 척수로, 그리고 신경계로 전달되는 모든 에너지가 변화하여 평온하고 고요해질 것이다. 그리고 신경계를 통해 직접 작용하는 유일한 에너지이기 때문에 이러한 에너지 자체가 평온해지면 모든 긴장은 사라질 것이다.

　이 방법을 적용할 때는 편안하게 앉거나, 더 나은 방법으로는 몸과 마음을 편안하게 하고 눈을 감고 누워서 모든 주의를 외부 사물에서 떼어내는 것이 가장 좋다. 그런 다음 절대적인 평화와 평온의 정신적 삶으로 뇌 중심을 관통하는 단 하나의 목적을 갖는다. 이 연습을 조용하고 쉽게 할수록 더 좋게 성공할 수 있으며, 마음의 미세한 힘을 생각하면서 미세한 정신적 힘을 뇌 중심으로 부드럽게 끌어당기려고 노력하면 즉각적인 결과를 얻는 데 크게 도움이 될 것이다. 5분 또는 10분 동안 계속할 수 있으며 매일 여러 번 반복할 수 있는 이 운동을 하는 동안 깊고 부드럽게 숨쉬는 것이 좋다.

이 운동과 물리적 호흡을 결합하는 것은 특별한 방식으로 매우 도움이 될 것이며, 이를 위해 다음과 같이 진행하라. 물리적으로 숨을 들이마시는 동안 마음과 뇌의 미세한 힘을 뇌 중심으로 끌어당기고, 물리적으로 숨을 내쉬는 동안 그 미세한 힘이 침착하고 평온하게 몸을 통해 발로 내려가고 있다고 느껴보라. 더 미세한 마음의 힘의 흡입과 호기를 이른 바 물리적인 호흡과 결합하면 효과적으로 수행될 때 모든 형태의 긴장이나 정신적 교란에서 헤아릴 수 없는 가치가 있는 방법으로 밝혀질 것이다. 그러므로 누구나 이 방법을 완벽하게 수행할 수 있을 때까지 연습하는 것이 유익할 것이다. 결과가 나타나기 시작하면 유쾌한 내면의 편안함이 느껴지고 시스템의 모든 신경이 조용해질 것이다.

이와 관련하여 조용한 신경만이 제대로 작동하는 유일한 신경이라는 것을 기억하는 것이 좋다. 흥분, 동요 또는 불안감을 느낄 때마다 이 방법을 적용하면 즉시 조화가 회복되어 질병과 실수를 모두 예방할 수 있다. 이 방법은 시스템을 구성하고, 심장을 정상적인 활동으로 되돌리고, 시스템을 순수하고 수리하는 데 필요한 완벽한 평온함을 창조적인 에너지에 제공한다. 이 방법은 또한 몸과 마음이 완벽한 평정 상태에 놓일 때 항상 에너지로 재충전되기 때문에 피로와 피곤한 느낌을 없애준다. 이 방법을 매일 사용하고 모든 형태의 긴장이 적절하게 사라지면, 신경의 완벽한 건강이 확보되고 시스템이 신체적 또는 정신적 발달 촉진에 가장 가치 있는 상태인 더 높은 수준의 조화에 도달하게 된다.

뇌의 중심에 균형을 유지하면서 마음의 더 미세한 본질이나 생명을 느끼려고 노력하는 것은 매우 중요하다. 왜냐하면 더 미세한 생명을 느낄 때 잠재의식에 인상을 남기게 되고, 완벽한 평화가 잠재의식에 전달될 때 좋은 일이 이루어지기 때문이다. 잠재의식이 모든 행동에서 침착하고 고요해지면,

시스템의 모든 원자가 완벽한 조화를 이루며 작동하고, 아무리 빠르거나 강한 행동이더라도 절대적으로 침착하고 평온할 것이다.

치료에서 중요한 필수 요소

긴장을 치료하는 데 있어 중요한 필수 요소는 무의식적으로 생각하거나 행동하는 경향을 제거하는 것이다. 무의식적인 행동, 즉 다른 생각을 하면서 한 가지 일을 하면 주의가 분산되고, 주의 분산은 자제력 감소로 이어진다. 자기 소유와 자기 통제의 태도가 완벽한 한 긴장은 불가능하지만, 마음이 시스템의 다양한 기능에 대한 통제력을 잃기 시작하는 순간 긴장이 시작된다.

긴장이라고 하는 것은 신경 에너지의 혼란스러운 작용에

불과하며, 마음이 인간 시스템에서 일어나는 모든 작용의 근본 원인이기 때문에 시스템 어디에서든 혼란스러운 작용은 근본적으로 혼란스러운 정신 작용에서 비롯된 것임에 틀림없다. 혼란스러운 정신 작용의 근본적인 원인은 주의가 분산되어 있기 때문이며, 주의가 분산되어 있다는 것은 한꺼번에 여러 가지 생각하기 때문이다. 한 번에 한 가지 일에만 집중해야 한다. 매일 수천 가지의 의무를 수행해야 할 수도 있지만, 한 번에 한 가지에만 직접 주의를 기울이라. 이렇게 자신을 훈련하면 평생 긴장에서 완전히 벗어날 수 있다.

신경계의 고장은 과로에서 오는 것이 아니라 힘이 흩어지기 때문에 발생하며, 주의력을 분산시켜야만 힘을 분산시킬 수 있다. 그러나 주의 분산은 여러 가지 방법으로 발생할 수 있다. 한 번에 너무 많은 일을 하려고 하는 것도 한 가지 원인이고, 복잡한 삶을 사는 것도 또 다른 원인이지만, 주된 원인은 대개 상상력을 무모하게 사용하는 데에서 찾을 수 있다.

대부분의 사람들은 상상력을 건설적으로 활용하는 방법을 모르기 때문에 대개 엉망이 된다. 그 결과 정신 작용이 혼란스러워지고 나중에는 신경력 사이에서 혼란스러운 작용이 일어난다. 상상력이 흥분이나 다양한 형태의 정신적 중독을 통해 모든 종류의 비정상적인 상태로 옮겨지는 온갖 형태의 삶과 사고에서도 마찬가지다. 그 결과 정신적 혼란이 발생하고, 마음의 힘이 엉망이 되면 신경력도 똑같이 된다. 왜냐하면 신경계는 일반적으로 뇌에서 일어나는 모든 개별 행동과 마찬가지로 뇌와 직접 연결되어 있기 때문이다.

시스템의 에너지가 낮아지면 상상력을 포함한 신체와 정신의 모든 기능이 정상적인 행동을 지속하려는 노력에 어느 정도 방해를 받는다. 그 결과 비정상적이거나 혼란스러운 행동이 나타나고, 어떤 종류의 질병이나 신경 쇠약이 뒤따를 수 있다. 그러나 시스템 에너지가 부족한 원래 원인이 항상 물리적인 것은 아니다. 육체적인 방탕은 양쪽 끝에서 촛불을 태우는 것과 마찬가지로 몸의 에너지를 감소시킬 것이다. 또한 정신적인 방탕과 같은 것도 있는데, 분노, 걱정, 흥분, 정신적 우울, 허탈, 낙담, 무모한 생각 및 무모한 상상력과 같은 주요 요소 중 일부는 정신적 방탕과 같은 것도 있다. 따라서 육체적으로나 정신적으로 에너지가 낭비될 수 있지만, 마음이 행동을 시작하지 않으면 신체는 아무것도 할 수 없다. 낭비되는 모든 행동은 원래 마음에서 비롯되는 것이기 때문이다.

긴장의 원인을 제거하려면 고려해야 할 두 가지 요소가 있다. 첫째, 시스템의 생명 에너지는 항상 충만하고 강력해야 한다. 활력이 부족하면 정상적인 행동이 불가능해진다. 정상적인 행동을 중단하는 것은 비정상적인 행동을 시작하는 것이다. 비정상적인 행동은 혼란스러운 행동으로 이어지고 혼란스러운 행동은 긴장으로 이어진다. 둘째, 모든 형태의 정신 장애를 완전히 제거해야 하며, 이는 주의를 분산시키는 습관을 제거함으로써 달성된다. 간단히 말해서, 긴장의 원인을 제거하려면 지금 생각하고 있거나 하고 있는 일에 온전히 주의를 기울이도록 훈련하여 항상 에너지가 넘치도록 생각하고 생활해야 한다. 끊임없이 생명 에너지로 가득 차 있고 조화, 침착함, 자기 소유의 행동에 끊임없이 에너지를 사용할 때 결코 긴장하지 않을 것이다. 모든 행동에서 풍부한 힘과 모든 행동에서 완벽한 균형, 이것이 바로 두 가지 비밀이다.

충분한 힘을 확보하기 위해

충분한 힘을 확보하기 위해 지금보다 더 많은 힘을 생산할 필요는 없다. 필요한 것은 에너지가 낭비되는 것을 막는 것이다. 간단히 말해, 모든 낭비를 완전히 피할 수 있도록 현재 에너지를 모두 사용하는 방법을 배우라. 낭비되는 힘은 손실되지만 사용된 힘은 증가한다. 오늘 사용하는 힘은 내일 시스템에 다시 나타날 것이다. 적절하게 사용되는 모든 것은 기름진 토양에 뿌려진 씨앗과 같기 때문에 스스로 번식하고 원래의 양뿐만 아니라 더 많은 양으로 다시 나타날 것이다.

우리가 가진 힘을 적절히 사용하는 데 있어 가장 중요한 요소는 모든 생각과 행동에 대해 명확한 목적을 갖고 그 목적에 온전히 집중하는 것이다. 우리는 생각할 때 목적을 가지고 생각해야 하며, 한 번에 한 가지 생각만 해야 한다. 그래야 생각의 모든 힘이 발휘되고 낭비되는 것이 없다. 이와 관련하여 피로는 힘의 낭비에서 오는 것이지 힘을 발휘하는 데서 오는 것이 아니라는 점을 기억하고 다시 반복하는 것이 좋다. 일에 투입된 힘은 스스로 재생되므로 힘의 손실이 뒤따를 수 없으며, 시스템에서 피로를 느낄 수 있는 것은 힘이 손실될 때뿐이다.

일을 할 때는 첫 번째 작업이 끝나는 동안 다음 단계를 생각하거나 계획하려고 하지 마라. 새로운 계획을 세우기 위한 시간은 별도로 가져라. 이렇게 하면 최상의 계획을 세울 수 있을뿐만 아니라 주의를 분산시키거나 마음을 혼란스럽게 하는 것을 피할 수 있다.

머리가 발보다 빨리 움직이지 않도록 하고, 현재에 일하면서 정신적으로 미래에 살지 않도록 하라. 몸이 사는 곳에 마음도 살아야 하며, 두 가지 에너지가 함께 현재 순간의 삶을 구축하는 데 작용해야 한다.

글을 읽을 때는 첫 번째 단락을 다 읽기 전에 두 번째 단락을 읽으려고 하지 말고, 글을 읽는 데 걸리는 10분의 1의 시간으로 핵심을 파악하려는 생각으로 대충 훑어보지 마라. 대충 훑어보는 습관은 세상에서 가장 나쁜 정신적 습관 중 하나이므로 완전히 없애야 한다. 대충 훑어보면 시간을 벌 수 있다고 생각할지 모르지만, 에너지와 힘은 물론 정신적 명석함까지 잃게 되므로 결국에는 얻는 것은 없고 잃는 것만 있을 뿐이다.

살면서 동일한 실수를 반복하지 마라. 인생을 서두르면서 인생의 모든 것을 얻으려고 하지 마라. 그러나 대다수는 이러한 습관에 빠져 있으며, 이는 직접적으로 긴장으로 연결되며 신경 쇠약의 90% 이상을 유발하는 직접적인 원인이 된다. 이 같은 습관은 많은 파괴와 우울증, 불행을 가져온다. 현재에 사는 법을 배우라. 그 목적을 위해 선택한 특별한 순간에 미래를 계획하지만, 미래에 사는 것은 절대적으로 거부하라. 내일 현실에서 할 일을 오늘 마음속으로 하는 것을 거부하라. 많은 사람들이 이런 습관을 가지고 있다. 그 결과 그들의 마음은 거의 항상 혼란스럽고 지속적으로 힘을 분산시킨다. 내일 여행을 떠날 예정이라면 오늘 계획을 세우되, 오늘 마음속으로 그 여행을 여러 번 되새기지 마라. 내일 특별한 일을 할 예정이라면 오늘 최선을 다해 준비하되, 오늘 그 일에 대한 세부 사항을 머릿속으로 훑어보지 말아야 한다.

내일의 건축을 위해 벽돌을 준비하되, 오늘 마음속으로 벽돌을 쌓지 마라. 내일 손으로 할 일을 절대 오늘 마음속으로 하지 마라. 과거에 겪었던 경험이나 미래에 겪을 것으로 예상되는 경험을 현재 마음속에서 되살리지 마라. 그러한 관행은 당신의 힘을 흩어지게 하고 주의를 분산시킬 것이다. 그 결과 혼란스러운 정신 작용이 일어나고 혼란스러운 신경 작용이 뒤따를 것이다. 집중력이 없으면 아무것도 성취할 수 없기 때문에 이러한 관행 또한 집중력을 떨어뜨린다.

그러나 과거의 기쁨이나 미래의 기대되는 기쁨을 평화롭게 묵상하는 동안 다른 일을 하지 않는다면 좋은 효과만 얻을 수 있다. 사실, 매일 그런 묵상을 위한 특별한 순간을 갖는 것은 유익할 것이다. 자투리 시간에 과거, 현재, 미래 등 무엇을 생각하든 상관없으므로 생각에 집중할 수 있고 집중력을 잃지 않을 수 있다.

따라서 긴장을 완전히 예방하거나 영구적으로 치료하려면 이 두 가지를 항상 염두에 두어야 한다. 주의가 분산되는 것을 피하고 시스템의 에너지가 부족해지는 것을 피하는 것이다. 다시 말해서, 시스템이 항상 에너지로 가득 차 있도록 살고 생각하고, 지금 하고 있거나 생각하고 있는 일에 온전히 전념하는 것이다.

연습하는 법

다음과 같은 연습이나 방법은 긴장 예방과 치료에 가장 유익하게 사용될 수 있으며, 충실하게 계속 적용하면 가장 완벽한 결과를 얻을 수 있다.

매일 여러 번 몇 분씩 차분한 태도를 취하라. 그 순간 몸과 마음이 얼마나 고요해질 수 있는지, 그리고 자기 본성의 깊은 고요함을 얼마나 온전히 깨달을 수 있는지 확인하라. 하루에 몇 번씩 몇 분 동안 깊이 고요해지는 연습을 하면 긴장하는 경향을 완전히 억제할 수 있다. 또한, 이러한 순간은 시스템을 회복하는 데 도움이 되며, 주어진 시간 동안 더 많은 일을 더 잘 해낼 수 있다. 그 조용한 순간에는 몸과 마음을 완전히 이완하라. 모든 근육과 모든 생각을 내려놓으라. 그저 가만히 있는 것이 얼마나 기분 좋은지 생각하라.

조화에 대한 의식을 높이고 깊게 하는 것을 목표로 하러. 조화의 진정한 의미를 자주 생각하고 그 진정한 조화를 내면적으로 느끼도록 노력하라. 다시 말해, 시스템을 완벽한 조화의 생명이나 영혼으로 만들기 위해 조화 자체에 주의를 기울이는 연습을 하라. 끊임없이 생각하고 주의를 기울이는 모든 상태나 조건을 우리 자신 안에서 발전시키는 경향이 있기 때문에 곧 더 조화롭게 느끼기 시작할 것이다.

정신적으로 자신을 진정시켜라. 자신에 대해 생각할 때마다 침착하고 숙련되고 자제력이 있다고 생각하라. 자신에 대해 형성할 수 있는 모든 정신적 이미지는 침착한 태도로 나타나야 하며, 자신이 어떤 위치에 놓일 것으로 예상할 때마다 그 위치에 있는 동안 침착하고 균형 잡힌 모습을 상상하라. 이렇게 하면 평온함을 향한 경향이 생겨나며, 깊고 평화로우면서도 엄청나게 강인한 태도를 가질 때까지 매일 점점 더 고요해지고 자제력을 가지게 될 것이다.

깊은 느낌이 들 때마다 즉시 평화로움을 느끼도록 하라. 그러면 잠재의식에 평화, 조화, 평온함을 심어줄 수 있으며, 잠재의식에 평화를 더 많이 심어줄수록 내면의 본성 전체가 더 평화롭게 느껴질 것이다. 삶의 밑바닥 흐름은 그 작용에서 조화롭고 고요해질 것이다. 당신은 내면, 실제 삶과 생각의 깊은 곳에서 평화롭고 평온함을 느낄 것이다. 그리고 내면의 본성 깊은 곳에서 평온하고 고요함을 느끼는 사람은 내면 깊은 곳에서 더 큰 힘을 느끼는 사람이다. 그런 사람은 강하고 숙달된다. 그런 사람은 진정한 의지력이 있다. 그런 사람은 자기 안에 있는 모든 것을 온전히 소유하고 있으며, 건강해지는 힘뿐만 아니라 가치 있는 일을 할 수 있는 힘도 얻었다.

항상 위대한 법칙을 기억하라. 평화의 의식이 깊어질수록 힘을 더 많이 소유하게 된다는 것을.

예민한 태도를 거부하라. 자신이 예민하다고 말하지 마라. 자신이 예민하다고 생각하지 마라. 상처를 받기 직전에 있을

37

때는 무엇이든 견딜 수 있다고 스스로에게 말하고, 그 점에서 잘하는 사람이 되겠다고 결심하라. 어떤 일에도 기분을 상하게 하지 마라. 모욕감을 느끼는 사소한 위치에 떨어지지 말고, 당신에게 의도될 수 있는 어떤 형태의 모욕도 받아들이지 마라. 자신의 신경계를 과하다 싶을 정도로 존중하고, 어떤 말이나 행동에 대해서도 기분 나쁘게 느끼지 마라. 에너지를 낭비하여 문제에 대해 고민하기에는 당신은 너무나 현명하다. 왜냐하면 같은 에너지를 잘 활용하면 모든 문제를 날려버릴 수 있다는 것을 알기 때문이다.

불쾌한 일에 정신적으로 집착하지 마라. 그렇게 하는 것은 신경계의 생명을 빼앗는 것이다. 불행, 문제 또는 손실에 대해 고민하는 것은, 다른 목적이 없어도, 불행이 당신 마음에 남긴 추악하고 고통스러운 기억을 계속 살아있게 하려고 몸의 신경과 기관에서 에너지와 생명을 훔치는 것이다. 이렇게 할 때, 당신은 정신적 괴물의 존재를 영속시키기 위해 단순히 신경계를 굶주리게 하는 것이다. 그 결과 긴장감이 생기고 신경 쇠약이 발생하며 많은 경우 정신이나 생명의 손실이 일어난다. 그러나 이 모든 것은 쉽게 예방할 수 있다. 과거의 불쾌함을 기억하거나 현재에 존재할 수 있는 어떤 것의 어두운 면에 집착하는 것을 무조건 거부하라. 모든 경험에 포함될 수 있는 더 풍부하고 더 큰 가능성에 즉시 주의를 돌리고 그 가능성의 정신에 긍정적으로 들어가라. 곧 당신은 잃는 것보다 얻는 것이 더 크다는 것을 깨닫게 될 것이며, 앞으로 이 이득을 몇 배 이상으로 늘릴 수 있는 힘이 있다는 것을 깨닫게 될 것이다.

신경에 대해 생각하지 마라. 긴장한다고 말하지 말고, 몸의 어느 곳에 존재할 수 있는 어떤 상태에도 의식적으로 생각하지 마라. 무언가 잘못되었다고 느끼면 그것을 바로 잡으라. 잘못된 것에 대해 덜 생각할수록 더 좋다. 몸 전체가 항상 건강하다고 생각하고 그 생각의 생명, 건강 및 힘 속에서 끊임없이 살아가라. 몸의 상태를 바꾸고 싶을 때는 정신적으로 신체에 작용하지 말고 신체 기관에 주의를 집중하지 마라. 추구해야 할 과정은 잠재의식에 원하는 원인을 생성하는 것이며, 원하는 효과는 곧 신체적 특성으로 나타날 것이다.

어떤 순간에도 긴장된 정신적 태도를 허용하지 마라. 이런 습관이나 경향에 빠져 있다면, 자주 온몸을 깊은 고요함 속으로 들어가도록 하여 느슨한 평온함을 기르도록 하라. 이를 위해 깊고 평온한 내면의 세계를 그려보고, 그곳에서 살고, 움직이고, 존재하라. 그런 다음 그 세상의 고요한 삶과 더 깊은 영혼의 평온함 속으로 들어가라. 또한 신경이 긴장될 위기에 처할 때마다 이 강의의 첫 번째 부분에서 소개한 특별한 방법을 사용하라. 이 방법은 항상 이완을 가져다줄 뿐만 아니라 마음을 진정시키며, 달래고, 회복시키는 데 탁월한 효과가 있다.

평정심과 건전한 정신 상태를 기르고 항상 깊이 기뻐하되, 그 기쁨은 평화로운 만족감을 불러일으키는 성질의 것이어야 한다. 신경을 흥분시키거나 과로한 마음 상태를 만들 수 있는 태도는 피하라. 우리가 어떤 상황에서도 추구해야 하는 것은 깊고 차분한 행복, 오래 즐길수록 더 깊고 달콤해지며 평화로워지는 행복이다. 이러한 형태의 행복 치료는 매시간마다 마실 수 있어야 한다. 그런 다음 모든 것과 평화롭게 지내라. 충분한 수면을 취하고 모든 것이 더 크고 더 큰 선을 위해 함께 작용하고 있다는 믿음으로 살아가라.

마음의 건강

<hr>

완벽한 건강과 온전한 정신을 확보하고 유지하려면 다음 과 같은 중요한 사실을 신중하게 고려해야 한다.

1. 본질적으로 거의 전적으로 정신적인 질병을 예방하고 치료할 때 특히 피해야 할 두 가지 경향이 있다. 하나는 정신 작용의 잘못된 사용으로 마음의 에너지를 소모하는 경향이고, 다른 하나는 특정 긴장된 상황에서 이러한 에너지 의 작용을 강화하는 경향이다.

2. 마음의 생명과 에너지가 정상적인 사고를 지속하기에 충분한 힘이 없을 정도로 약해지면, 마음은 그 본성에 따라 어느 정도 기능을 멈추고, 의식은 둔해져 어떤 경험도 올바르게 해석되지 않으며, 그 당시 형성되는 정신적 개념은 대부분 환상이다. 걷거나 움직일 때 에너지가 필요한 것과 마찬가지로, 생각하고 아는 데에도 에너지가 필요하다. 신체가 너무 많은 에너지를 잃으면 걸을 수 없게 되고, 정신이 너무 많은 에너지를 잃으면 생각할 수 없게 된다. 그러나 걷지 못하는 것이 항상 신체적 에너지가 부족해서 생기는 것은 아니며, 명확하게 생각하지 못하는 것이 항상 정신적 약함에서 생기는 것도 아니다.

3. 마음은 힘으로 가득 차 있지만, 그 힘이 비정상적으로 강화되면 조화롭고 일관된 정신 작용이 방해를 받고 명확한 사고가 불가능해진다. 그런 마음은 일반적으로 생각을 많이 하고 항상 흥분된 상태에 있지만, 생각은 단절되고 잘못된 믿음과 생각, 심지어 온갖 환각이 발생할 수 있다.

4. 정신적 질병의 본질에 대한 면밀한 연구는 과로와 흥분된 상태를 피할 때 정신이 비정상적이거나 불균형하거나

혼란스러워지지 않는다는 것을 명확하게 증명한다. 그러나 과로 상태는 지나친 정신적 노력에서만 오는 것이 아니라 걱정, 우울증, 슬픔, 두려움, 불안 등에서 비롯될 수도 있다. 이러한 마음 상태는 파괴적인 사고에 에너지를 소모하여 정신력을 고갈시키는 반면, 일반적인 정신 작업은 유용한 일을 수행하는 데 에너지를 소모한다. 때때로 어떤 사람은 너무 열심히 일하여 너무 많은 에너지를 소모할 수 있으며, 그러한 경우 과로로 인해 직접적인 정신적 문제가 발생할 수 있다. 그러나 이러한 경우는 매우 드물며, 걱정과 불안에서 오는 경우가 훨씬 더 많다. 한 시간의 걱정은 10시간의 꾸준한 두뇌 활동보다 더 많은 정신 에너지를 소모하며, 두려움, 슬픔, 우울증 및 이와 유사한 잘못된 정신 상태도 마찬가지다. 일반적으로 작업 후 사람을 지치게 만드는 것은 작업과 함께하는 걱정이며, 작업 중에 걱정하지 않는 사람은 거의 없다. 그러나 이것은 극복할 수 있을 뿐만 아니라 철저하게 극복해야 하는 습관이다.

5. 공부할 때, 사람은 열심히 공부하면 정신이 지쳐서 그런 일을 하는 동안 정신이 어느 정도 소진된다고 생각하지만, 그것은 잘못된 생각이다. 공부는 일정량의 정신 에너지를

소모하지만 많은 시간을 계속 공부한 후에도 정신적 피로를 일으키기에는 충분하지 않다. 대부분의 학생들이 공부와 결합하여 마음을 지치게 하는 것은 불안 때문이다. 특정 목적을 위해 공부할 때, 학생은 일반적으로 그 목적을 달성하기 위해 지나치게 불안해하며, 실패할까 봐 두려워하거나 이미 저지른 실수로 인해 우울해할 경우가 종종 있다. 이러한 마음의 오용은 마음을 지치게 하여 공부를 만족스럽게 수행할 수 없게 만들지만, 공부 자체는 마음을 지치게 하거나 피곤하게 만들지 않는다.

6. 마음이 약해지지 않게 하려면 걱정과 두려움, 불안이 있는 곳에 믿음을 세워야 한다. 믿음 안에 거하고 생각하고 행하는 마음은 항상 강할 것이다. 이것은 우리가 항상 기억해야 할 위대한 진리 중 하나이며, 그 진리 안에서 사는 것은 마음에 최고의 보호를 제공하는 것이다.

7. 마음의 흥분된 상태는 주로 분노, 흥분, 심신의 격렬한 행동 또는 신경질적인 급박함에서 비롯되지만, 어떤 무리한 정신적 행동이나 긴장된 행동도 같은 상태를 만들어 낼 것이다. 이런 상태에서 마음은 말하자면 묶여 있고 에너지를 정상

적인 영역 밖으로 내뿜는다. 따라서 방향을 잃고 마침내 길을 잃게 되지만, 완전히 길을 잃는 과정에서 온갖 종류의 환상을 만들어내는데, 이는 자신과 조화를 이루지 못하는 마음이 대개 의식하지 못한 채 여러 갈래로 환상을 만들어내는 이유를 설명해준다.

8. 마음이 하나의 고립된 주제에 너무 집착하거나 한 방향으로 너무 오래 강요되면 비슷한 상태가 만들어지고 정신적 균형이 깨진다. 이 상태에서는 마음의 한 부분이 과로하고 다른 부분은 사실상 휴면 상태에 빠진다. 따라서 과로한 부분은 지치거나 강화된 상태 때문에 명확하게 생각할 수 없고, 휴면 상태는 활동하지 않는 상태 때문에 명확하게 생각할 수 없다. 그 결과 당시 생성되는 다양한 마음 상태는 잘못될 것이며, 잘못된 상태는 항상 몸과 마음의 건강에 해로운 결과를 초래한다.

9. 정신을 한 방향으로만 너무 많이 사용하는 경향을 피하기 위해 모든 사람은 정신적 다양성이라고 할 수 있는 것, 즉 정신적 행동, 정신적 작업, 관심사를 자주 바꾸는 습관을 가져야 한다. 이 연습은 시스템이 어느 정도 긴장된 상태에

있을 때 가장 중요하다. 이러한 상태에서는 감수성이 매우 예민해지며, 깊게 형성된 모든 인상은 그 인상이 나타내는 모든 선을 따라 마음을 데려가는 경향이 있다. 따라서 이러한 시기에는 마음이 한 방향으로만 행동하는 경향이 매우 두드러지므로 처음부터 완전히 피해야 한다. 정신의 모든 부분이 활성화되면 정신은 대개 건전한 행동으로 돌아오기 때문에, 한 가지 정신적 방향으로만 움직이는 경향이 느껴질 때마다 즉시 다른 것에 주의를 돌려서 정신의 다른 부분을 활성화시켜야 한다. 이와 관련하여 자신의 직업에 관심을 끌 수 있는 것 외에도, 가치 있는 모든 종류의 주제를 연구하고, 몸과 마음과 영혼의 모든 기능을 가능한 한 완전하고 조화롭게 행사하는 것이 훌륭한 실천이 된다.

10. 모든 형태의 광신과 장기간의 열정적인 행동은 완전히 피해야 하며, 마음의 어떤 부분도 한쪽으로 치우치게 해서는 안 된다. 누구든지 광신자가 되기 시작하면 마음이 다소 불균형해지고 자신이 고려할 수 있는 주제의 한 면 이상을 볼 수 없게 된다는 것은 잘 알려진 사실이다. 이 상태가 오래 지속되면 한 가지 선상에 따라 강렬한 정신적 행동으로 이어져 마침내 방금 언급한 조건을 초래한다. 광신적인 마음은

결코 건강한 마음이 아니며, 거의 모든 주제에서 잘못되었을 뿐만 아니라 대부분의 일반적인 정신 상태에서도 건전하지 못하다. 생각이나 사고의 어떤 부분에서 마음의 작용을 고립시키는 경향이 발견되면 즉시 새로운 경험을 찾아야 하며, 특정 장소, 사람 또는 사물에 완전히 몰두하는 자신을 발견하면 즉시 다른 것에서 우수한 품질을 찾으려고 노력해야 한다.

11. 마음이 흥분하거나 지나치게 긴장된 상태를 예방하려면 완벽한 평정심을 기르는 것이 필요하다. 그러므로 그러한 방식으로 마음을 사용하는 경향이 있는 모든 사람은 즉시 평정심을 얻기 위해 노력해야 한다. 몇 분 안에 또는 훨씬 짧은 시간 안에 심신의 정상적인 활동이 완벽하게 회복되고 육체적, 정신적 작용 모두에 많은 에너지를 더할 수 있다.

12. 마음은 결코 우울한 감정 상태에 빠지도록 허용해서는 안 된다. 그러한 경향은 변함없이 정신적 건강 문제로 이어지기 때문이다. 이러한 경향을 극복하기 위해 밝은 성향을 키워야 하고, 모든 일에서 더 크고, 더 좋고, 더 우수하고, 이상적인 것에 주의를 집중하는 습관을 모든 사고의 영구적인 요소로 만들어야 한다. 밝고 긍정적이며 상승하는 정신 상태가 정신

과 신체 모두에 많은 힘을 더한다는 사실은 중요하다. 그리고 이와 관련하여 쾌적하고 낙관적이며 상승하는 정신 상태는 우리가 겪을 수 있는 어떤 경험도 우리를 우울하거나 낙담하게 할 수 없을 정도로 강해질 수 있다는 것을 기억하는 것이 좋다. 이 연구의 이 단계와 관련하여 이전 강의에서 언급된 정신적 경향에 대해 참조하는 것이 유익할 수 있다.

13. 마음의 하향성을 피하는 것의 중요성은 모든 우울한 상태가 변함없이 그 마음을 명확한 사고가 불가능한 지점에 더 가까이 내려가게 한다는 것을 이해할 때 깨닫게 된다. 그리고 반대로, 모든 상승 또는 상향하는 마음의 태도는 모든 사고가, 말하자면, 정신적 빛의 세계에서 기능하는 더 높고 명확한 사고의 영역에서 작용하게 한다. 다시 말해서, 정신이 의식적인 행동에서 더 높은 단계로 올라갈수록 생각에 더 많은 빛을 받게 되고, 결과적으로 모든 사고가 더 명확해진다.

14. 마음의 불리한 상태를 제거하려면, 가장 중요한 것은 정신적으로 조용해지는 것이고, 두 번째 본질적인 것으로 신경계 전체에 더 많은 생명과 에너지를 제공하는 것이다.

마음을 조용하게 하기 위해서는 이전 강의에서 신경질에 대해 제공된 특별한 방법을 사용해야 한다. 그리고 마음과 신경계에 더 많은 생명과 에너지를 제공하기 위해서는 마음의 다양한 에너지들이 새로운 방향으로 진행할 수 있도록 방향을 바꾸어야 한다. 마음의 에너지들이 새로운 선을 따라 진행하면, 마음의 다른 부분들이 활성화되고, 결과적으로 휴면 상태에 있는 정신력을 끌어내게 된다. 그렇게 함으로써 마음의 모든 힘이 짧은 시간 안에 회복되고, 완벽한 건강과 정신의 온전함이 항상 따라올 것이다.

우울증 치료

바깥의 들판과 정원은 햇빛이 있어야 풍요로움과 아름다움을 발산할 수 있으며, 내면의 아름다운 정원도 마찬가지다. 최근 심리학의 발견에 따르면, 마음에 밝음과 기쁨이 풍부하지 않으면 어떤 정신적 재능이나 능력도 만족스럽게 성장할 수 없다는 사실이 밝혀졌다. 정신이 발달하려면 마음에 햇빛이 있어야 하고, 이 정신적 햇빛이 지속되는 한, 풍부한 생각을 통해 정신적 토양을 풍요롭게 만들고 존재와 행동으로 잘 가꾸면 발달은 지속될 것이다. 그러나 풍부한 생각은 보통 사람의 마음에서 벗어난 것도 아니고, 존재하고 행하려는 노력도 대다수에게 부족한 것도 아니지만, 정신적 햇살의 세계에서 지속적으로 사는 기술은 거의 모든 곳에서 부족하다. 그러나 그것은 우리가 원하는 대로 되고 성취하기 전에 반드시 채워줘야 하는 결핍이다.

행복하면 유익하다. 이것은 새로운 시대의 새로운 사상 중 하나이며, 올바른 마음가짐으로 받아들이는 모든 사람에게 훌륭한 사상이 될 것이다. 쾌활함을 기르는 것은 능력과 기술을 기르는 것만큼이나 필요하다. 따라서 우울을 예방하거나 치료하는 것은 신체 질환을 예방하거나 치료하는 것만큼 중요하다. 우울한 마음은 병든 마음이며, 병든 마음은 아픈 신체보다 인간 복지에 더 큰 장애물이 된다. 이런 이유로 누구도 햇살이 잘 드는 쪽이 아닌 다른 쪽에서 살 여유가 없다. 다른 모든 면은 질병, 실패 및 조기 사망을 의미한다.

인생의 목표가 진보, 성장, 발전, 영원한 증가라면 우리는 모든 단계에서 우울을 제거하고 그 자리에 영원한 기쁨의 상태를 영구적으로 확립해야 한다. 행복은 정상적인 마음 상태이다. 마음이 건강하면 항상 행복하다. 사실 건강한 마음은 행복하지 않을 수 없다. 따라서 행복하지 않을 때 마음은 아프고 치료가 필요하다. 치료가 필요한 이유는 첫째, 병든 마음은 도덕적 질병과 육체적 질병을 일으킬 수 있기 때문이고, 둘째, 병든 마음은 제 역할을 제대로 할 수 없기 때문이다. 수천 건의 부절제와 범죄 사례는 병들거나 실망한 마음에서 비롯되는 것이다. 그리고 수만 건의 실패도 같은 방식으로 시작되었다. 따라서 우울과 모든 단계의 불행을 극복하는 것이 가장 중요한 문제이다.

이 주제를 자세히 살펴보면, 우울에는 두 가지 종류가 있으며, 각각 고유한 원인이 있고 특별한 치료가 필요하다는 것을 알 수 있다. 첫 번째는 정신 질환이라기보다는 오히려 무질서한 생각과 잘못된 관점의 증상에 가깝기 때문에 많은 주의를 기울일 필요가 없다. 일반적으로 실패나 패배로 인한 실망과 같은 불쾌한 경험에서 비롯되므로, 모든 것을 기쁨으로 생각하고, 마음을 훈련하고 현재 상황이 어떻든 이기기 위해 노력한다는 결심으로 내림으로써 쉽게 제거할 수 있다.

더 높은 관점에서, 인간의 진정한 위대함이라는 관점에서 삶을 바라볼 때, 우리는 반복적으로 실패하더라도 희망도 용기도 잃지 않을 것이다. 이러한 관점에서 우리는 모든 실패가 성공의 디딤돌이 될 수 있다는 것을 발견하고 실패가 나타날 때마다 그런 식으로 실패를 활용한다. 그러나 실패를 이런 식으로 활용하려면 절대 절망에 빠지지 말고 모든 상황을 완전한 자기 통제의 자세로 맞이해야 한다. 모든 실패는 길을 잃은 소중한 에너지일 뿐이며, 우리가 올바른 태도로 이 잘못된 에너지에 접근한다면 우리는 그 에너지를 되찾아 우리에게 유익하게 작용하게 할 수 있다.

따라서 현재 상황에서 파괴적으로 보일 수 있는 힘도 변화시켜 건설적으로 만들 수 있다. 그 이유는 간단하다. 잘못된 행동으로 힘이나 상황의 방향을 바꿀 수 있다면, 올바른 행동으로 그 힘의 방향도 바꿀 수 있고, 따라서 그 힘이 우리의 목적과 계획에 따라 작동하도록 만들 수 있기 때문이다. 따라서 실패가 닥쳤을 때 절망에 빠져 포기하지 말고, 흩어진 힘을 유쾌하고 능숙하게 모아 이전보다 더 큰 성공의 건설을 향해 방향을 바꿔야 한다.

자신의 가능성이 무한하다는 것을 아는 사람은 결코 패배를 인정하지 않을 것이고, 따라서 결코 낙담하지 않는다. 그는 시작한 대로 계속하면 언젠가는 승리할 수 있다는 것을 알고 있다. 그리고 그는 또한 자신이 극복하는 모든 큰 어려움이 항상 승리자에게 더 큰 힘을 의미한다는 것도 알고 있다. 그런 마음은 여러 곳에서 지고 실패하더라도 결코 실망하지 않는다. 그는 자신의 운명이 자신의 손에 달려 있으며, 결국은 자신이 원하는 것을 무엇이든 달성할 것이라는 것을 알고 있다.

형이상학적 법칙을 이해하면, 아무리 일이 잘못되어도 실망할 이유가 없다는 것을 알 수 있다. 왜냐하면 우리가 계속해서 밝고 희망차고 믿음으로 가득 차 있으면, 모든 일이 올바르게 진행되도록 하는 데 우리의 힘과 재능을 성공적으로 발휘할 수 있는 태도를 갖게 되기 때문이다. 결과적으로 실패나 패배로 인한 낙담은 더 높은 관점에서 삶을 바라봄으로써 쉽게 극복하거나 예방할 수 있다. 우리 자신의 가능성을 알고 자신의 운명을 지배하고 통제하는 방법을 끊임없이 배우고 있다면, 몇 번의 좌절 정도는 신경 쓰지 않을 것이다. 그들은 일시적인 것이며, 아는 마음의 손 아래에서 곧 질서, 발전 및 더 큰 성취로 이어질 것이다. 그러므로 자신의 힘을 이해하는 마음은 더 이상 패배로 인해 슬퍼하거나 우울해하지 않으므로, 우리는 이러한 형태의 낙담을 더 이상 신경

쓰지 않고 지나갈 수 있다.

두 번째 형태의 우울

두 번째 형태의 우울은 실제로 정신 질환이므로 반드시 치료해야 한다. 다양한 방식으로 발생하며 때로는 위에서 언급한 조건에서 비롯되기도 한다. 그러나 원칙적으로는 다른 방식으로 시작된다. 마음이 원하는 모든 것을 가지고 있고 실망이나 패배를 알지 못하는 사람들에게도 만성적인 우울을 가진 이들이 있다. 때때로 이러한 형태는 우울증으로 발전하며 이는 광기의 주요 원인이 된다. 여기서 모든 상황에서 잘 고려하고 철저히 적용해야 하는 위대한 진리인 항상 행복한 마음은 결코 광기가 될 수 없다는 것을 기억하는 것이 좋다.

만성적인 우울의 주요 원인은 다음과 같다. 첫째, 신경에너지나 정신적 활력의 소진; 둘째, 감정의 잘못된 방향; 셋째, 주요 신경 중추, 특히 태양신경총의 교란; 넷째, 혼란스러운 신체 활동. 첫 번째 원인은 쉽게 예방할 수 있으며 이로 인해 발생하는 질병도 매우 쉽게 제거할 수 있다. 일반적으로 인체 시스템에는 모든 요구를 충족시키기에 충분한 활력이 생성되며, 이 활력을 잘못 사용하지 않는 한 정신적, 육체적 피로는 없다. 그러나 스트레스, 불안, 분노, 두려움 및 기타 유사한 정신 상태는 활력을 약화시키고 결국 피로를 유발할 수 있다. 그러나 규칙적인 작업이 이러한 상태를 유발하지는 않는다. 일만으로는 인체 시스템의 활력이 고갈되지 않는다는 것이 결정적으로 입증되었기 때문이다.

일반적으로 피로로 인한 우울은 갑작스럽게 나타나며, 삶의 모든 것이 조화와 기쁨을 돕는 것처럼 보일 때에도 발생한다. 이러한 상황에서는 경험이 심오하다. 명확한 원인을 찾을 수 없다. 세상 모든 것이 괜찮은 것처럼 보이지만, 당신은 기분이 좋지 않고 그 상태가 몇 시간 동안 지속될 수 있다.

그럴 때 각성제에서 해결책을 찾고 싶은 유혹이 매우 강하며, 신경 쇠약이 잘못된 삶의 근본 원인이라는 것은 잘 알려진 사실이다. 그러나 인위적인 치료법을 찾는 대신 스스로 원인을 찾아 없애려고 노력해야 한다.

정말 지친 상태, 말하자면 정신적이나 육체적으로 피곤한 경우, 그 원인은 활력이 부족한 것을 알 수 있다. 이 사실을 발견하면 가장 먼저 해야 할 일은 깊고 완전하게 숨을 쉬는 것이다. 올바른 숨을 쉬는 것만큼 활력을 쉽게 높여주는 것도 없다. 여기서 올바른 숨이라 함은 깊고 충만하며 부드럽게 숨을 쉬는 것을 의미한다. 이때 가슴 전체로 숨을 쉬어야 한다. 그러나 평균적인 사람들은 호흡 시 폐의 위쪽 절반만 사용하며, 그로 인해 몸의 그 부분에 질병 발생 가능성도 높아지게 만들며, 규칙적인 활력 공급이 줄어드는 것으로 이어질 수 있다. 올바른 호흡의 단순한 과학은 가슴 전체로 숨을 들이마시고 모든 호흡을 규칙적으로 하는 것이다. 시스템의 활력이 낮다고 느껴지면 더 많이 숨을 쉬고, 몇 분 동안 완전히 조용할 수 있는 기회가 있다면, 그때는 자신이 주변 세계의 모든 힘이 축적되는 중심이라는 것을 깨우치려고 노력하라. 그리고 이것은 사실이다. 당신은 주변 세계의 모든 원소와 힘의 중심이다. 자기 자신을 생명의 중요한 센터로서 집중하면, 생명력을 더 축적하기 시작하여 실제로 이전보다 더 많은 에너지로 충만해질 것이다. 이런 태도를 잠시 유지하면 시스템이 다시 충전되고, 우울함을 느끼는 대신 오랫동안 느껴보지 못했던 만족감과 행복을 느끼게 될 것이다.

생명의 중심으로서 스스로에게 집중할 때, 자신을 완벽한 평형 상태로 유지하면서 이 무한한 생명의 바다에서 살아 움직이고 존재하고 있음을 깨달아라. 그런 다음 가능한 모든 에너지를 축적하고자 하는 부드러운 욕망을 품으면서 그 자세로 몇 분 동안 침묵을 유지하라. 그 결과는 당신의 기대를 훨씬 뛰어넘을 것이다.

많은 낙담 상태는 잘못된 감정에 의해 생성되며, 잘못된 감정의 주요 원인은 현재 실현할 수 없는 욕망을 품는 관행에 있다. 에너지가 인체의 특정 부분에 축적되어 현재 사용할 수 없는 경우, 그 효과는 항상 신경계를 방해하고 우울하게 하여 정신적 낙담을 일으킨다. 즉, 사용하지 않은 힘이 어디에서나 축적될 때마다 마음이나 몸의 해당 부위의 신경을 자극하는 경향이 있으며 이러한 교란은 감정을 왜곡시키는 경향이 있다. 어떤 종류의 에너지를 어떤 방향으로든 표현하려는 경향이 강한 한, 많은 에너지가 그 방향으로 움직일 것이고, 표현이 거부되면 축적될 것이며, 이 축적은 그 부분에 비정상적인 상태를 만들어내고, 그 반응은 항상 마음에 불쾌한 느낌을 낳는다. 이를 방지하려면 현재 실현할 수 있는 욕망만을 품고 에너지를 변환하는 방법을 배워야 한다. 이는 현재 특정 기능에 사용할 수 없는 모든 에너지를 더 많은 에너지를 활용할 수 있는 다른 기능으로 끌어올 수 있도록 하기 위해서이다. 우리는 현재 실현할 수 없는 욕망의 존재를 허용해서는 안 된다. 그러한 욕망이 생기면 즉시 다른 곳으로 주의를 돌려야 한다. 이렇게 주의를 돌리면 그 욕망과 관련된 에너지를 다른 부분으로 끌어당기는 경향이 있을 것이다. 그곳에서 에너지의 실질적인 사용이 실현될 수 있다.

이와 관련하여 몇 가지 예를 들면 도움이 될 것이다. 만약 고급 옷에 대한 욕망을 정직하게 충족시킬 수 없다면, 그 욕망을 바꾸고 대신 아름다운 영혼을 욕망하라. 산해진미에 대한 욕망을 충족시킬 여유가 없다면, 대신 풍요로운 생각을 욕구하도록 스스로 훈련하다. 자손에 대한 욕구를 현재 만족시킬 수 없다면, 대신 마음을 돌려 큰 재능을 육성하라. 비슷한 예는 얼마든지 들 수 있으며, 이런 아이디어를 적용하는 사람은 누구나 에너지가 원래 채널을 따라 자신을 표현될 수 없을 때 시스템에서 발생할 수 있는 모든 신체적, 정신적 교란을 예방하는 것이 쉽다는 것을 알게 될 것이다.

우리 시스템의 에너지를 보다 완벽하게 제어하여 언제든지 원하는 대로 적용할 수 있으려면, 육체적이든 정신적이든 모든 에너지가 여분의 에너지를 필요로 하는 어떤 기관, 어떤 기능 또는 능력으로든 끌어올 수 있다는 사실을 깨닫는 데서 시작해야 한다. 그러한 깨달음이 강하고 생생해지면 우리는 마음이나 몸의 특정 부분에 에너지를 축적하고자 하는 단순한 욕구만으로도 시스템의 모든 잉여 에너지가 지체없이 그 부분으로 직접 흘러간다는 사실을 알게 될 것이다.

잘못된 감정의 또 다른 원인

잘못된 감정의 또 다른 원인은 통제되지 않은 감정에서 찾을 수 있다. 기쁨의 감정이 히스테리적인 황홀경이 되거나 열정이 우리를 땅에서 띄워 올리도록 허용할 때, 우리는 마음의 큰 추락을 위한 길을 준비하고 있는 것이다. 그리고 낙담이 뒤따를 것이다. 모든 감정과 기쁨은 균형을 유지해야 하며, 열정은 완벽하게 통제될 때 가장 큰 힘을 발휘한다. 사람들에게서 도망치는 형태의 열정은 항상 비정상적인 마음 상태를 만들어내며, 이것이 우리가 최선을 다해 피해야 하는 것 중 하나이다. 통제력 부족으로 인한 특정 감정 상태가 특정 방향으로 너무 멀리 진행되어 마음의 모든 주의력을 빼앗을 때마다 사용할 수 있는 것보다 더 많은 에너지가 그 자리에 축적될 것이다. 그리고 이렇게 쌓인 에너지는 부담이 되어 마음을 우울하게 만들고, 고갈된 정신력은 공허함을 느끼게 되는데, 우울할 때마다 힘도 능력도 야망도 없는 것처럼 느껴지는 이유를 바로 여기에서 찾을 수 있다.

우리가 결코 지나치게 기뻐하거나 지나치게 열광하지 않을 때, 결코 충족될 수 없는 욕망의 존재를 허용하지 않을 때, 그리고 어떤 감정도 우리 통제를 넘어서는 것을 허용하지 않을 때, 우리는 감정의 오용으로 발생할 수 있는 모든 우울증을 완전히 예방할 수 있다. 그러나 어떤 원인에서든 우울함이 생긴다면, 이전 강의에서 신경질에 대한 치료법에서 설명한 대로 뇌 중추에 주의를 집중하고 심호흡을 함으로써 몇 분 안에 문제를 해결할 수 있다. 이러한 방법을 통해 우리는 신경계의 평형을 회복하는 동시에 시스템 전체의 생명 에너지를 증가시킬 것이다.

태양신경총의 교란으로 인해 발생하는 우울의 형태를 고려할 때 우리는 때때로 불가사의해 보이는 문제에 직면하게 되는데, 그 이유는 태양신경총이 인체의 물리적 측면과 형이상학적 측면을 연결하는 고리로 간주되기 때문이다. 이 개념을 받아들이는 사람들은 태양신경총이 더욱 활성화되면 많은 양의 추가 에너지가 해방될 것이라고 자연스럽게 믿지만 이는 사실이 아니다. 사실 우리는 태양신경총에 의식적으로 주의를 덜 기울일수록 더 좋다.

태양신경총에서 발생하는 장애는 항상 불완전한 소화에서 비롯되며, 태양신경총이 교란되면 신체적, 정신적으로 모든 감정을 교란시키는 경향이 있다. 따라서 이런 식으로 오는 우울은 불완전한 소화에 근본적인 원인이 있음을 알 수 있다.

이러한 이유로 우리는 가장 심각한 낙담 사례 중 일부는 많은 사람들이 때때로 생각하는 것처럼 눈앞에 다가온 끔찍한 재난에 대한 예감이 아니라, 위장 외에 다른 원인이 없다는 것을 알 수 있다. 사실, 낙담 사례의 4분의 3 이상이 소화불량에서 비롯된 것이라고 말할 수 있다. 그러므로 소화가 잘되면, 특히 균형 잡힌 조화로운 신경계로 강화되면 일반 개인에게 올 수 있는 대부분의 낙담을 예방할 수 있다. 그리고 이 사실을 알기에 우리는 낙담을 너무 심각하게 받아들이는 것이 얼마나 어리석은 일인지 깨닫게 된다. 대신 이러한 상태를 특별한 순간이 아닌 것으로 바라보는 것을 습관화하고 소화를 정상화하면, 우리는 정신 건강과 온전함을 회복하는 데 한 걸음 더 나아가게 될 것이다.

신체적 장애로 인한 우울의 경우는 강한 정신적 성향을 가지고 있지만 더 깊은 정신 생활에서 발생한 새로운 힘을 사용하는 방법을 모르는 사람들에게서만 발견된다. 새로운 힘이 깨어날 때마다 그것을 사용하는 방법에 대한 지식이 있어야 하며, 이 적용에는 심각한 실수가 없을 것이다. 이것이 사실이므로, 그 누구도 그 본질과 올바른 사용법에 대해 잘 알기 전까지는 새로운 힘을 사용하려고 시도해서는 안 된다.

그러나 정신적 장애로 인해 발생하는 형태의 우울은 대개 심각한 성격을 띠며, 이를 완전히 예방하기 위해 가능한 모든 조치를 취해야 한다. 이러한 상황을 방지하기 위해 따라야 할 안전한 방법은 단 하나뿐이다. 현상의 근간이 되는 심리적, 형이상학적 법칙을 철저히 이해하거나 현상에 대해 완전한 숙달을 달성할 때까지 심리적 현상이나 정신적 경험과 아무 관련을 두지 않는 것이다. 그러나 많은 사람들에게 이러한 요구는 너무 엄격하게 느껴질 수 있다. 사실, 이러한 요건을 준수해야 한다면 어느 누구도 심리 연구에 참여하는 것이 불가능할 것이며, 그리고 실제로 이것이 사실이지만, 우리 대부분은 심리 연구에 전혀 관심을 기울이지 않는 것이 우리에게 크게 유익하다는 것도 사실이다.

그러나 우울증은 우리가 가장 주의를 기울여야 할 주제이며, 위에 제시된 방법 외에도 마음이 우울해지는 경향을 제거할 수 있는 모든 방법을 사용해야 한다. 우리는 건강한 마음뿐만 아니라 성장하는 마음에도 지속적인 햇빛이 필요하다는 것을 알고 있으며, 이를 알기 때문에 모든 상황에서 이 햇빛을 제공하기 위해 최선을 다할 것이다. 우리의 목표는 건강뿐만 아니라 세상에서 더 큰 일을 할 수 있는 힘이다. 그리고 이 두 가지 목표를 실현하기 위해서는 성장하는 마음이 필요하므로, 정신적 성장이 지속적으로 이루어질 수 있도록 정신적 햇살을 제공하는 것이 가장 유익한 일임을 알게 될 것이다.

정신적 우울증 예방

이전 페이지에서 이 주제에 대해 언급한 내용에 더해, 만성 우울증을 자주 유발하는 두 가지 특별한 원인을 찾을 수 있다. 첫 번째 원인은 잠재의식 생활에 영향을 미칠 정도로 깊숙이 뿌리박힌 특정한 부정적 정신 상태에서 발견되면, 두 번째 원인은 완전하고 자연스러운 표현을 찾을 수 없는 각성된 잠재의식의 힘에서 발견된다.

내면의 천재성이 가시적인 행동으로 표출되려고 하지만, 객관적인 마음과 주관적인 마음 사이에 존재하는 부조화로 인해 그러한 행동을 만들어낼 수 없어서 정신적 우울증에 시달리는 많은 사람들이 있다. 행동하고 싶어도 행동할 기회를 찾지 못하는 내면에 큰 힘이 있을 때, 정신의 여러 부분에서 부자연스러운 압력이 생성되고 일반적으로 정신적 우울증이 초래된다. 어느 정도의 우울함, 실망, 심지어 절망까지 수반하는 이러한 우울증은 수년 동안 지속될 수 있으며, 이는 거의 지속적으로 불행한 천재 또는 잠재적 천재가 많다는 사실을 말해준다. 보통 사람의 외적인 마음은 잠재의식의 힘과 천재성에 반응하도록 훈련되지 않았다. 따라서 내면의 천재는 말하자면 감옥에 갇혀 있는 것이다. 나와서 행동하는 것이 허용되지 않는다. 그것은 객관적인 한계의 철창 뒤에 갇혀 있으며 그러한 운명과 화해하기를 거부한다.

어떤 마음에서는 내면의 힘이 그다지 활동적이지 않아 거의 느껴지지 않는 반면, 다른 마음에서는 내면의 위대한 힘이 끊임없이 자유와 표현을 요구한다. 불안, 불만, 정신적 우울증을 일으키고 예민한 마음이 견디기 힘든 이상에 대한 절망적인 갈망을 낳는 것은 바로 이것이다. 객관적인 마음이 잠재의식과 완전한 조화를 이루어 내면의 힘이 나와서 원하는 것을 할 수 있을 때, 우리는 이해를 뛰어넘는 평화, 영혼의 황홀경에 닿는 조화, 측정할 수 없는 기쁨을 얻게 된다. 그런 순간에 개인은 현재에 있고, 현재 순간에 가질 수 있는 모든 것이 있으며, 그의 삶은 완성된다. 그러나 평범한 사람에게는 그러한 순간이 거의 오지 않는데, 그 이유는 외적인 마음이 위대한 내면에서 깨어나는 생명과 힘을 표현할 수 있는 상태에 있지 않기 때문이다.

보통 사람들은 내면의 천재성을 표현하도록 훈련받지 못했다. 그저 다른 사람이 한 말을 기억하고 다른 사람이 한 행동을 모방하도록 훈련받았을 뿐이다. 그 동안 내면의 천재성은 감옥에 갇혀 있고 자유를 얻으려는 노력은 많은 혼란, 우울증, 많은 실수, 정신적 절망의 순간을 낳는다. 대부분의 야심 찬 사람들에게 오는 많은 불행은 바로 이러한 조건에서 비롯된다. 정신적 가정은 스스로 분열되어 있다. 내면의 마음은 완전한 개인의 삶에서 위대함과 기쁨을 만들어 내고 싶어 하는 반면, 외면의 마음은 피상적인 삶을 살면서 자신의 한계에 있는 감각이 원하는 것만 하기를 원한다. 그러나 객관적인 마음은 잠재의식과 다르게 행동하도록 창조되지 않았다. 수 세대에 걸친 비과학적인 훈련이 외부 마음에 이러한 경향을 부여했지만, 이러한 경향이 제거될 때까지 인간의 마음에는 진정한 평화도 진정한 위대함도 있을 수 없다.

두 마음은 같은 목적을 위해 조화롭게 함께 일해야 한다. 객관적인 마음은 매일 최고의 생각, 목표, 욕망으로 잠재의식에 깊은 인상을 심어야 하며, 잠재의식은 그러한 목표와 욕망을 성취할 수 있는 힘을 발휘할 때 완벽하게 반응해야 한다. 객관적인 마음은 잠재의식으로부터 점점 더 많은 힘을 기대해야 하며, 내면에서 나오는 더 큰 힘을 온전히 표현하는 데 필요한 차분하고 평온한 수용적 태도를 끊임없이 유지해야 한다. 이러한 태도를 기르는 것은 두 마음을 조화롭게 하는 것이며, 객관적인 마음이 매일 잠재의식에게 더 많은 생명, 더 큰 지성, 더 큰 힘을 생산하도록 지시할 때, 이러한 조화는 잠재의식이 앞으로 나와 지시받은 대로 행할 수 있게 해줄 것이다.

정신적 우울증, 불만, 만성적 낙담 또는 삶의 어두운 면에 살고자 하는 성향으로 고통받는 대다수 사람들은 내면의 더 큰 힘이 행동할 수 있는 완전한 자유를 부여받을 때 그러한 상태로부터 완벽히 해방될 수 있다. 의식과 무의식을 조화롭게 배치하는 것은 내면의 모든 힘이 스스로를 표현할 수 있는 기회를 주는 것이며, 그러면 안도감이 한꺼번에 찾아올 것이다. 또한 인격 전체가 새로운 생명으로 재충전되고, 신체는 더욱 활기차고, 정신은 더욱 빛나게 될 것이다.

　만성적인 우울증은 부정적인 정신 상태로 인해 발생하며, 치료법은 정확한 과학적 사고로 객관적인 마음을 훈련하는 것이다. 즉, 마음은 밝은 면, 건설적인 면, 성장하는 쪽에서 살아야 하며, 모든 생각은 창조할 수있는 가장 높은 이상과 정확히 닮은 형태로 형성되어야 한다. 우리가 이상에 주의를 집중하고 그 이상을 향해 나아가고 있다는 것을 항상 깊이 느낄 때 우리는 우울증, 어둠, 불만에서 벗어나 빛, 자유, 평화, 기쁨의 세계로 나아갈 것이다. 인간의 마음에는 행복이 영원한 지속되는 상위 영역이 있다. 이 상위 영역에 들어가기 위해 첫 번째 필수 요소는 두 마음을 조화롭게 배치하는 것이고, 두 번째 필수 요소는 참된 모든 것, 완전한 모든 것, 고귀한 모든 것, 아름다운 모든 것, 숭고한 모든 것의 높이에 시선을 고정하는 것이다.

두려움을 없애는 법

두려움의 경향이 있는 한 어떤 마음도 최선을 다할 수 없으며 평화, 건강, 자유, 성취의 삶을 살기 위해서는 모든 마음이 최선을 다하는 것이 절대적으로 필요하기 때문에 우리는 두려움을 완전히 제거해야 한다.

모든 인간 질병의 진정한 기원은 성장 지연에서 찾을 수 있으며, 우리는 최선을 다하지 않을 때마다 성장이 지연된다는 것을 알고 있다. 그러므로 최선을 다하는 데 방해가 되는 모든 것은 제거되어야 하며, 이러한 방식으로 방해되는 것은 여러 가지가 있지만 두려워하는 태도는 그중 가장 두드러진 것 중 하나이다. 두려움은 다른 모든 부정적인 마음 상태를 합친 것보다, 타고난 위대한 인재들이 자신의 위대함을 발휘하지 못하도록 방해했다는 것을 증명할 수 있다. 또한 두려움이 다른 어떤 원인보다 더 많은 질병, 문제, 불행을 낳았다는 것을 증명할 수도 있다. 따라서 두려움을 없애는 것은 최소한으로 말해도 엄청난 일을 하는 것이다.

일시적으로 두려움을 없애는 방법은 여러 가지가 있지만, 영구적으로 제거하려면 근본적인 원인을 찾아야 한다. 이 원인은 광범위하게 모색되어 왔으며, 현재 순간의 외부 시간이라고 할 수 있는 것에서 발견되었다. 마지막 분석으로 축소해보면, 두려움은 가까운 미래의 불확실성에서 비롯된 마음의 상태일 뿐이다. 앞으로 다가올 모든 일이 우리가 바라는 대로 정확하게 이루어질 것이라는 것을 안다면 두려움을 느낄 이유가 전혀 없겠지만, 우리가 거의 매일 정신적으로 접촉하는 이 불확실성에서 모든 형태의 두려움이 발생한다. 따라서 두려움을 없애기 위해서는 이러한 불확실성 상태를 극복해야 하며, 이것이 가능하다는 것은 좋은 소식이다.

이러한 불확실성의 느낌은 다양한 형태의 두려움을 유발하며, 그 중에서도 가장 두드러진 것은 아마도 죽음에 대한 두려움일 것이다. 죽음 이후의 삶이 불확실하기 때문에 우리는 죽음을 두려워한다. 하지만 죽음이 단순히 이 세상보다 더 크고 더 놀라운 세상으로 들어가는 문이라는 것을 분명히 알고 있다면, 죽음에 대한 생각은 전혀 두려움을 일으키지 않을 수 있다.

또 다른 단계는 재난의 단계이다. 우리는 재난으로부터 안전하게 벗어날 수 있는지 알 수 없고, 절대적인 안전을 확보하기 위해 어떤 예방 조치를 취해야 할지 항상 알 수 없기 때문에 재난에 대한 두려움 속에서 살아간다. 우리가 가난을 두려워하는 이유는 이 세상의 상황이 너무 불확실해 보이기 때문이다. 어디에서나 우리 친구들은 예기치 않은 불행을 만나고, 우리에게도 같은 운명이 닥칠 가능성이 꽤 있다고 상상한다. 우리가 처한 상황을 지배할 수 있다면 이 특정한 상황에 대해 다르게 생각해야 하지만, 상황을 지배하는 기술을 명확하게 이해하지 못하기 때문에 대다수는 미래의 불행을 계속 두려워한다. 우리가 질병을 두려워하는 이유는 거의 매일 위협적인 증상에 직면하고, 처음에는 별것 아닌 것처럼 보였던 증상이 계속되면서 주변 사람들을 무덤으로 데려가는 것을 보기 때문이다. 그 밖에도 우리가 어느 정도 두려움을 느끼거나 걱정하는 여러 가지 조건과 상황들이 있다. 그 이유 역시 결과에 대해 확신하지 못하기 때문이다. 결과는 좋을 수도 나쁠 수도 있으며, 우리는 앞선 결과를 자유롭게 만들기 위한 힘을 얻지 못했기 때문에 후자가 될 수 있는 가능성을 두려워한다. 따라서 모든 두려움은 우리가 지금 하고 있는 일의 결과에 대한 불확실성에서 직접 비롯된다는 것은 분명하다. 현재 일어나고 있는 일은 과거에도 자주 일어났던 일이며, 그러한 징후는 과거에 여러 번 나쁜 결과를 낳았다. 그리고 여기서 문제가 되는 것은, 우리가 이번에는 모든 것을 바로잡을 수 있을까? 라는 것이다. 우리 대부분은 알지 못하며, 그래서 대다수가 가까운 미래의 사건에 대해 거의 끊임없이 두려움에 떨고 있다.

두려움은 불확실성에서 비롯되며 다른 어떤 원인에서도 비롯되지 않는다는 것을 쉽게 증명할 수 있다. 그러나 문제는 이 불확실성을 만들어내는 것이 무엇인가 하는 것이다. 해당 주제의 단계를 분석해보면, 모든 형태의 불확실성의 원인은 과거에 비슷하게 불리한 상황에서 비슷한 문제가 발생했다는 사실에 의해 생성된다는 것을 알 수 있다. 그리고 현재로서는 미래에 모든 일이 올바르게 이루어질 수 있다고 증명할 길도 없다. 즉, 대부분은 현재 조건에 관계 없이 미래가 바로잡힐 수 있다고 입증할 길이 없다. 그렇다고 해서 증거를 찾을 수 없음을 나타내는 것은 아니다.

따라서 두려움을 없애기 위해서는 우리가 모든 것을 바로잡을 수 있고, 현재보다 미래를 더 좋게 만들 수 있으며, 최고의 복지 증진을 위해 모든 것이 함께 작동하도록 할 수 있다는 생각을 증명할 수 있는 긍정적인 증거를 확보해야 한다. 그러나 대다수는 겉모습에 따라 판단하고 인간 본성을 최선의 경우에도 약하고 무능하다고 생각하기 때문에 그러한 증거를 확보할 수 없다고 생각할 수 있다.

그러나 인과관계의 위대한 법칙을 이해하고 인간의 진정한 힘을 이해하는 사람들은 겉모습이 어떤 것에 관한 정확한 진실을 드러내지 않는다는 것을 알고 있으며, 인간이 자신의 삶 전체, 본성 및 운명을 바꿀 수 있는 힘을 가지고 있다는 것도 알고 있다. 이 세상은 무작위적인 우연의 세계가 아니며, 사건도 그냥 일어나는 것이 아니다. 혼란스러운 표면을 보고 얼마나 많은 것들이 엉망으로 움직이는지 볼 때, 질서 정연한 재조정을 시도하는 것이 전혀 쓸모가 없다고 생각할 수도 있다. 하지만, 모든 부작용이 어떤 부작용의 원인에서 비롯되고 인간 자신이 그러한 부작용을 만들어낸다는 것을 발견하면 다른 관점에서 생각할 필요가 있다.

혼란스러운 세상의 표면은 구성원 간의 무질서로 인해 혼란스러운 가정이 만들어지는 것처럼, 인류의 혼란스럽고 잘못된 행동으로 인해 만들어진다. 모든 집의 내부는 그 집을 책임지고 있는 사람들의 모습과 똑같다. 질서 정연한 사람은 모든 것이 조화를 이루고, 집 자체가 평범하고, 설사 그 안에 있는 모든 것이 평범하고 저렴하더라도 깔끔함이 지배적일 것이다. 그러나 가장 새롭고 홀고급스러운 집과 값비싼 가구도 무질서한 마음 하에 두면 완전히 타락한 모습을 보일 수 있다.

같은 법칙이 세상에서 가장 작은 것과 가장 큰 것 사이에 적용된다. 세상 자체와 그 많은 부분은 그 책임을 지고 있는 사람과 같다. 세상의 좋은 것은 좋은 원인에서 비롯되고, 나쁜 것은 나쁜 원인에서 비롯되며, 모든 원인은 사람으로부터 비롯된다. 그러나 사람은 자신이 원하는 모든 원인을 만들어낼 수 있으므로 미래는 자신의 손에 달려 있는 것이다.

세상의 상태를 전반적으로 바꾸려면 인류가 전반적으로 바뀌어야 하며, 이것은 가능하다. 오랫동안 인류는 옳고 선하라는 말을 들어왔지만, 어떻게 나아가야 하는지 명확하게 들은 적이 없다. 인류는 더 나은 삶을 위해 변화하기를 가장 열망하고 있다. 실제로 대다수는 인간 향상이라는 큰 주제에 대해 필요한 지식과 진리를 얻기 위해 끊임없이 기도하고 있다. 그러므로 필요한 것은 이미 우리 곁에 있는 이 큰 욕망의 정보를 제공하는 것뿐이며, 그러면 세상은 변화하기 시작할 것이다.

세상 전체는 모든 사람 행동의 직접적인 결과이며, 개인의 세계는 자신의 행동과 그가 접하게 되는 일반 세계의 행동이 더해진 결과다. 그러나 사람은 자신의 행동을 바꿀 수 있고, 각각의 경우에 세상의 행동에 적응하여 자신이 원하는 결과를 얻을 수도 있다. 다시 말해, 각 개인은 자신이 원하는 것을 자신의 세계에서 만들어낼 수 있다. 그리고 일반 세상에서 자신의 세상으로 들어오는 것들을 변화시켜 자신이 자신을 위해 생산하고 있는 것과 본질과 작용이 동일해지도록 할 수 있다.

인간의 진정한 본성과 힘을 이해한다는 것은 자신이 생산할 것을 결정할 수 있고, 또한 일반 세상이 자신의 개인 세상에서 생산할 것을 정할 수 있다는 것을 아는 것이다.

따라서 그는 상황의 완전한 주인이며, 이것이 사실이라면 전체 주제는 순수 수학의 주제로 축소된다. 수학 문제를 풀 때 우리는 답을 두려워하지 않으며, 원리를 안다면 결과를 두려워하지 않는다. 우리가 훌륭한 수학자라면 답이 정확하다는 것을 확실히 알고 있으며, 확실하게 알고 있는 곳에 두려움이나 공포는 있을 수 없다.

그러나 훌륭한 수학자는 다른 사람보다 우월하기 때문에 계산에 두려움이 없는 것이 아니다. 그가 우월한 것은 관련된 원리를 알고 있다는 것뿐이다. 그도 비틀거리는 학생과 동일한 수학적 세계에 살고 있다. 둘은 서로 다르지 않다. 유일한 차이점은 한 사람은 원리를 이해하고 다른 사람은 이해하지 못한다는 것이다.

훌륭한 수학자는 자신이 원하는 답을 얻고 문제의 미래를 자신이 원하는 대로 만든다. 그는 결과가 옳기를 원하며, 원리를 이해함으로써 원하는 것을 얻는다.

그의 단순한 비결은 이것이다. 그는 문제를 해결할 때 어떤 원칙을 적용해야 하는지 알고 있으며, 모든 문제에 그 원칙을 적용한다. 그리하여 원하는 결과를 얻는다. 우리가 일상생활에서 만나는 문제도 같은 방식으로 해결할 수 있다. 모든 문제에는 수학적 근거가 있으며, 삶의 원리를 올바르게 적용하면 모든 경우에 올바른 결과를 도출할 수 있도록 문제를 해결할 수 있다.

우리가 알 때

미래가 현재의 직접적인 결과라는 것을 알면, 우리가 현재 하고 있는 모든 일에 삶의 원리를 올바르게 적용하는 한, 미래에 대한 두려움은 있을 수 없다. 게다가 우리는 매일 건설적으로 살고 있는 사람이 현재보다 더 크고 더 훌륭하고 완벽한 미래를 스스로 건설하고 있다는 것을 기억해야 한다. 그는 자신이 더 좋고 더 큰 것을 생산하는 일을 매일 하고 있다는 것을 알기 때문에 현재 노력의 결과가 좋을 것이며 더 큰 것을 생산하게 될 것이라고 확신한다.

그런 사람이 두려움을 가질 수 있다는 것은 불가능하다. 마음속에 불확실한 것이 없으므로, 그에게는 두려움이 없다. 그는 가난에 대한 두려움이 없다. 왜냐하면 매일 스스로를 개선하고, 매일 더 나은 서비스를 세상에 제공하기 때문이다. 그리고 서비스가 좋을수록 더 나은 보상으로 돌려받는다는 것은 불변의 진리이다. 이 규칙에는 가끔 예외가 있을 수 있지만, 이러한 예외는 겉으로 보기에 그럴 뿐이고, 당시에 볼 수 없었던 삶의 법칙을 위반했기 때문이라고 할 수 있다.

어떤 원칙은 바르게 사용하고 다른 원칙은 잘못 사용하는 사람이 많다. 그러한 경우 결과는 불확실할 것이고, 두려움이 생길 수도 있다. 그러나 우리가 모든 원칙을 적용하면 불확실성과 두려움은 있을 수 없다. 왜냐하면 결과는 우리가 원하는 대로 될 것이기 때문이다. 능력이 있고, 그 능력을 충분히 표현할 수 있는 영역과 필요에 자신을 적절하게 연관시키는 사람은 끊임없이 수요가 있을 것이고, 그에 대한 보상은 꾸준히 증가할 것이다. 위대한 정신이 자기 시대에서 인정받지 못한다면, 그것은 그들 자신에게도 책임이 있다. 그들이 자신의 천재성을 시대의 요구에 맞게 적응시키지 않았기 때문이다. 그러나 능력이 어떻든 간에, 누구든지 자기 시대의 요구에 적응할 수 있으며 따라서 자신의 세대로부터 완전한 인정을 받을뿐만 아니라 소유한 모든 능력을 가장 성공적인 방식으로 모두 적용할 수 있다.

오늘날 최선을 다하고 있는 사람들은 법칙을 이해한다면 두려워할 이유가 없다. 왜냐하면 최선을 다하는 한 그들은 더 나아지고 꾸준히 발전할 것이기 때문이다. 그런 마음에게는 미래가 밝다. 그들은 매일 좋은 원인을 창조하고, 미래는 점점 더 풍부한 결과로 이루어질 것이다. 따라서 이 법칙을 적용하는 사람에게는 아무런 두려움도 없다.

이 진술은 누구나 동의할 것이다. 그러나 평범한 마음에게는 좋은 원인만을 창조하는 방법, 삶이 건설적인지 아닌지를 어떻게 알 수 있는지가 문제이다. 잘 사는 사람도 수없이 있고, 실제로 최상의 결과만을 창출하려고 노력하지만, 그들은 거의 끊임없이 곤경에 처하고 불행하게 살고 있다. 이러한 상태의 원인은 그들이 삶에서 발생하는 특정 문제에 관련된 원칙을 적용하는 법을 배우지 못했기 때문이다.

앞으로 나아가기 위해서 우리의 삶을 이 혼란스러운 상황에서 벗어나 절대적인 질서를 확립해야 한다. 그런 다음 이 정돈된 기반 위에서, 그 어떤 것이 아무리 작고 사소하더라도, 우리는 새로운 삶의 저택을 건설해야 한다. 그러나 시작하기 전에 새로운 구조의 계획은 명확하게 마음에 고정되어 있어야 한다. 즉, 우리는 우리의 이상을 형성해야 한다. 첫 번째 필수 조건은 평화롭고 고요하며 균형 잡힌 마음 상태에서 사는 것이다. 왜냐하면 생명의 힘은 건설적인 행동의 조화로 이루어져야 하기 때문이다. 두 번째 필수 조건은 생명을 자신의 소유로 인식함으로써 생명을 자기 손으로 가져가는 것이다. 다시 말해, 우리는 항상 생명을 절대적으로 자신의 소유로 여길 것이며, 그러면 머지않아 우리의 삶을 완전히 지배할 수 있는 힘이 제2의 본성이 될 것이다. 세 번째 필수 조건은 하나의 주된 목적을 가져야 한다는 것이다. 즉, 매일 매일 스스로와 일에 대해 더 나아지고 발전하기 위해 지속적으로 노력하면, 자신과 환경 모두에서 더 큰 것을 끊임없이 세워나가는 것이다.

이와 관련하여 우리는 상상 속의 모든 것이 점점 더 완벽하게 만들어지는 모습을 보는 법을 배워야 한다. 왜냐하면 모든 것의 더 나은 면, 강한 면, 우월한 면에 정신적 시선을 고정하는 것은 마음의 창조력에 우월한 모델을 제공하는 것이며, 이러한 힘은 항상 그 모델과 똑같은 모습으로 창조하기 때문이다. 따라서 우리가 지속적으로 우월한 것을 생각하고 정신적 눈을 우월한 것에만 집중한다면, 우리는 우리 자신의 본성에서도 우월함을 창조할 수 있다.

반면에 우리가 어두운 면, 약한 면, 문제가 있는 면, 아픈 면, 실패한 면을 생각할 때 우리는 우리 본성과 세상에 그러한 상황을 창조하는 경향이 있다. 그리고 두려움을 느낄 때 우리는 항상 그러한 열등한 면을 생각하여 우리가 두려워하는 것이 우리에게 다가오게끔 만든다.

우리가 더 나은 삶을 건설하는 데 온 정신을 집중하고, 모든 능력을 건설적으로 사용하는 기술에 대한 지식을 끊임없이 늘려간다면, 우리는 전체 삶을 완벽한 행동 체계로 만들어 모든 것이 우리에게 더 크고, 더 좋고, 더 우수한 것을 생산하도록 협력할 것이다. 우리의 모든 에너지가 숙련된 건축업자 군대로 조직될 때 가능한 효과는 단 하나뿐이며, 그것은 인간 삶에서 바람직한 모든 것의 지속적인 증가이다. 이런 방식으로 모든 에너지를 사용하는 사람은 그의 삶에서 두려움의 원인이 완전히 제거되었기 때문에 두려워할 것이 없다. 따라서 두려움을 제거하는 문제는 과거보다 현재에 더 고귀하게 쌓아 올릴 수 있는 방식으로 모든 능력과 힘을 사용하는 기술을 통해 해결되며, 이는 삶의 원리를 수학적 정밀함으로 사용하는 법을 배움으로써 달성될 수 있다. 우리가 두려워하는 것은 많지만, 주요한 것은 의심할 여지없이 가난과 질병, 재난 및 죽음이다. 그리고 이 네 가지에 대한 두려움을 제거하는 법을 배우면, 우리는 원하지 않는 모든 사소한 조건에 대한 두려움도 없애버릴 수 있을 것이다. 죽음에 대한 두려움을 없애기 위해서는 삶이 연속적이며, 각 개인의 미래 삶이 현재 삶의 자연스러운 결과라는 사실을 확신하기만 하면 된다. 영혼의 의식, 즉 '나'의 실현과 '나'의 완전성이라고 불릴 수 있는 것의 발달은 모든 개인의 삶이 연속적이고 끝이 없다는 것을 어떤 마음에도 확실하게 보여줄 것이다. 사실 '나'를 의식하는 것은 '나'와 '생명'이 동일하다는 것을 알고, '생명은 파괴할 수 없다'는 것을 안다. 그리고 진정한 당신은 나의 존재를 구성한다는 이 위대한 사실을 더해보면, 당신은 순수한 이성을 통해 자신이 영원히 살아갈 것이라는 것을 스스로 증명할 수 있는 정확한 근거를 갖게 된다.

인과관계의 법칙에 대한 이해

〜〜〜〜〜〜〜〜〜〜〜〜〜〜〜〜〜〜〜〜〜〜〜〜〜〜〜〜〜〜〜〜〜〜〜

인과관계의 법칙을 이해하면 현재의 영역뿐만 아니라 미래의 존재 영역에서도 자신의 미래와 운명을 창조할 수 있으며, 당신의 미래 존재를 상상할 수 있는 한 아름답고 경이롭고 화려하게 만들 수 있음을 알 수 있다. 법칙이란 현재에 고귀하게 살고 있는 사람이 이 삶과 앞으로의 삶 모두에서 더 나은 미래를 창조하고 있다는 것을 말한다. 따라서 올바른 삶과 올바른 사고의 원칙을 의미하는 법칙의 원칙을 적용하는 사람은 죽음이나 미래를 두려워할 것이 없다. 사실 그에게 죽음은 단순히 이보다 훨씬 더 풍부하고, 훨씬 더 훌륭하고,

훨씬 더 아름다운 세상으로 이어지는 문을 의미할 것이다. 그리고 그에게 미래는 말로 설명할 수 없다는 것을 깨달은 것보다 훨씬 더 뛰어난 달성과 성취, 즐거움이 될 것이다.

이런 점에서 죽음에 대한 두려움이 없는 사람들이 항상 이 지구에서 가장 긴 삶, 최고의 삶, 가장 행복한 삶을 산다는 사실을 알면 흥미를 느끼지 않을 수 없다. 그리고 현재에 최선을 다하고 있음을 아는 이들은 언제든지 이 행성을 떠나는 것을 두려워하지 않는다는 것도 잘 알려진 사실이다. 그들은 모든 변화란 더 나은 것을 위한 것임을 알기에 어떤 변화도 두려워하지 않는다. 이런 사람들은 자기 삶에 원칙을 적용하고 있다는 사실에 근거하는 내면적 확신을 가지고 있다. 그 확신이란, 잘하는 사람이 항상 잘 될 것이라는 것이다. 그리고 우리는 그러한 확신이 두려움을 완전히 제거하리라는 것을 알고 있다.

어떻게 사는지 배우면, 우리는 죽음에 대한 모든 두려움을 잃어버릴 것이다. 왜냐하면 실제로 살기 시작할 때, 우리는 매우 긴 삶, 매우 흥미로운 삶, 그리고 매우 아름다운 삶을 살 것이라는 것을 알기 때문이다. 그리고 우리는 또한 죽음이라고 불리는 것이 더 아름다운 삶을 위한 열린 문일 뿐임을 알고 있다. 왜냐하면 아름다운 현재는 항상 더 아름다운 미래를 만들어내기 때문이다. 우리가 얻은 것, 우리가 받고 즐길 수 있는 것. 이것이 법칙이다. 따라서 그런 삶을 사는 사람은 앞으로도 더 많이 받고 더 많이 즐기게 될 것이다.

질병의 증상이 나타날 때, 우리는 자연법칙을 위반했음을 안다. 그러나 삶을 이해한다면, 우리는 또한 고통이란 우리에게 무언가 재조정할 필요가 있음을 알려주기 위해 오는 좋은 친구라는 것도 안다. 그리고 우리가 생각하고 살 줄 알 때 쉽게 해결할 수 있는 문제를 바로잡는다면, 어떤 질병도 없을 것이다. 한 번에 모든 위협적인 증상을 제거하는 방법을 알게 되면 우리는 결코 질병을 두려워하지 않을 것이다. 그리고 건강을 더 크고 풍성하게 만드는 방법을 알면, 질병에 대한 두려움은 불가능해질 것이다. 건강을 창조하는 한 우리는 아플 수 없다. 그리고 수학자가 문제에 수학 공식을 적용하듯 생명의 원칙을 삶에 적용하여 건설적인 삶을 살고 있는 모든 이들은 더욱 더 크고 풍성한 건강을 창조하고 있다.

능력과 힘이 무한정으로 점점 더 발전할 수 있다는 것을 알게 되면 빈곤에 대한 두려움을 사라질 것이다. 우리는 어디에서나 남녀를 불문하고 유능한 인재의 수요가 엄청나게 많다는 것을 알고 있으며, 우리가 세계 최고의 장소를 채울 수 있을 만큼 유능해질 수 있다는 것을 알게 되면 우리는 영원한 증가의 보장 속에서 살게 될 것이고, 따라서 가난에 대한 두려움은 사라질 것이다. 소득이 날로 증가하고 있고, 전 세계에서의 서비스에 대한 수요가 날로 커지고 있음을 알게 되면 가난이나 손실에 대한 어떤 두려움도 가질 수 없다.

재난, 사고, 재앙 등에 대한 두려움을 없애는 것은, 일반적으로 개인이 그러한 것들이 생산되는 원인을 통제할 수 없다고 믿기 때문에 불가능해 보일 수 있다. 그러나 문제를 자세히 들여다보면, 우리가 적절한 때에 올바른 일을 하지 못하기 때문에 그러한 불쾌한 사건들을 만난다는 것을 알게 된다. 원칙에 따라 살면, 우리는 적절한 때에 올바른 일을 하기 위해 점점 더 많은 것을 배울 것이고, 마음과 영혼에서 성장함에 따라 점점 더 미세한 감각을 발달시킬 것이며, 그 감각을 통해 각각의 경우에 추구해야 할 경로를 쉽게 구분할 수 있고, 따라서 마음에 들지 않는 것을 피할 수 있을 것이다.

그러면 이와 관련해서도, 비록 세상의 모든 재앙의 원인을 통제할 수는 없겠지만, 스스로를 잘 통제할 수 있기 때문에 그러한 원인의 행동에서 벗어날 수 있다는 것을 기억해야 한다. 다시 말해, 우리는 재앙을 초래하는 길을 피할 수 있고, 언제나 안전한 길을 택할 수 있다.

끊임없이 더 낫고 더 좋은 것을 창조하는 방식으로 삶의 법칙을 적용하면, 우리는 점점 더 좋은 것을 긍정적으로 만날 것이다. 따라서 두려움은 없을 것이다. 왜냐하면 오직 최선만을 창조하는 한, 우리는 오직 최선만을 받을 것이기 때문이다.